LES OPTIMISTES VIVRONT

PHIL BOSMANS

NOVALIS   DESCLÉE

Edition originale:
© Verlag Herder, Freiburg im Breisgau, 1983
Version française:
© Desclée, Paris, 1985
D-1985-0002-4
ISBN 2-7189-0265-5

DISTRIBUTION

En Amérique

Novalis, 375, rue Rideau, Ottawa, Canada   K1N 5Y7

Dépôt légal: 1er trimestre 1985
Bibliothèque nationale du Canada
Bibliothèque nationale du Québec

ISBN: 2-89088-195-4

Printed in Belgium

TABLE DES MATIÈRES

Chers amis !

*Une grande tristesse
envahit le monde,
une désolation presque incurable.
Nous vivons dans un vaste désert.
Le désert,
une terre où rien ne pousse,
une terre sans joie.
Notre désert est une terre
où les hommes ne vivent plus
les uns pour les autres.
Il y a aujourd'hui
beaucoup d'hommes
qui possèdent tout
et qui ne ressentent de joie
pour rien, ·
des hommes
qui n'ont plus de goût à rien.*

Ils sont nombreux
les gens qui souffrent :
parce qu'ils ont oublié
l'art de vivre,
parce qu'ils sont incapables
de profiter
d'un peu
de bonheur.

*Les hommes
sont fatigués et découragés.
Sous leur peau
ils portent l'angoisse.
Pourtant ici en Occident,
en dépit de la crise économique,
nous sommes loin
de connaître la misère.
Les besoins élémentaires
de l'homme
sont plus que satisfaits.
La nourriture et le vêtement
nous sont offerts en abondance,
entassés comme des montagnes,*

en un superflu
à peine imaginable.
Notre crise est spirituelle !
Par la presse,
la radio et la TV,
la folie envahit chaque jour
nos maisons
avec une dose mortelle
de violence, d'injustice,
de terreur et de destruction.

Le fardeau moral et spirituel est devenu trop lourd pour nous tous.

Chers amis,
je ne vous connais pas,
mais je sais
que vous avez bon cœur.
Je vous entends dire :
que pouvons-nous faire ?

Eh bien,
je voudrais vous confier ceci :
nous pouvons faire beaucoup,
vraiment beaucoup.
Dans ce grand désert,
nous pouvons être de petites oasis,
où tout recommence
à pousser et à fleurir.
Laissez se lamenter
les pessimistes.
Seul les optimistes survivront.
Il nous faut dédramatiser
la crise.

Il nous faut planter
des fleurs dans le désert,
et semer des étoiles dans le noir,
sans toujours se demander
ce qu'il en adviendra.
En cette époque de crise
nous devons mettre en valeur
une énergie nouvelle,
une énergie « primordiale »
et formidable,
complètement tombée dans l'oubli :

L'amour

Pour moi, l'amour
est une merveilleuse force de vie
qui s'est révélée
et épanouie pleinement
en Jésus de Nazareth.
J'entends son cri dans le désert :
« Que celui qui a soif
vienne à moi et qu'il boive.
L'eau que je lui donnerai
deviendra une source,
et du plus profond de lui-même
sortira un fleuve d'eau vive. »
Là où il y a une source,
surgit une oasis.
L'eau
est un élément naturel puissant.
Une seule goutte
peut donner à une fleur
la force de se redresser.

Chers amis,
soyons d'humbles porteurs d'eau
dans un vaste désert ;
soyons de petites oasis.
Les hommes simples et bons
sont aujourd'hui
les seuls poumons
par lesquels
notre monde peut respirer.

Courage et confiance !
A l'horizon je vois des hommes,
et des femmes, de tout milieu,
de toute couleur
et de toute opinion.
Un monde nouveau se prépare.
Les gens
reprennent conscience des valeurs
que le progrès scientifique
et technique
leur a fait oublier.
La lumière jaillit,
et avec elle, un grand espoir.

Phil Bosmans.

Il n'y a que l'eau
qui puisse
transformer
un désert.
L'eau c'est la vie.
L'amour
c'est l'eau vive.

C'est pour cela,

mon ami,

que tu es né.

*Les rues sont pleines de gens
extrêmement sérieux.
De gens
qui n'ont du temps
pour personne et pour rien.
De gens blasés,
las de courir et tristes.*

*Mais, mon ami, mon amie,
où donc est ton courage ?
L'étincelle
qui fait briller tes yeux ?
La fleur entre tes dents
et la chanson
qui endort un enfant ?
La crise
a-t-elle assombri ton cœur,
jusqu'à changer
ton sourire en rictus ?*

L'angoisse
prend
d'énormes
quantités
d'énergie ;
elle paralyse
aujourd'hui
les forces

*Ecoute !
Les déprimés paralysent la vie.
Les dégoutés de la vie
étouffent la joie.
Les gens sans joie
tuent l'espérance.
Les hommes sans espérance
sèment le désespoir.*

dont nous aurons besoin demain
pour surmonter
les difficultés qui nous attendent.

Mon cher ami ou amie,
tu es né pour aimer
et pour être aimé,
pour être bien dans ta peau
et avec tous les autres.
Ne dis pas que tout cela
est propos insipide,
creux sentiment.
La joie de vivre
n'est pas un baume
qui ferait oublier
l'amertume de la vie.
La joie de vivre et le bonheur
ne tombent pas du ciel.

On ne les trouve pas
à la surface de la vie.
Il faut les chercher
plus profond,
dans ton propre cœur.
C'est là
que l'on peut faire beaucoup.
Les enfants
cherchent plus que jamais
un peu de lumière
dans les yeux des adultes.
Ils ne peuvent croire au bonheur
que si celui qui en parle
est lui-même réellement heureux.

7

Voici ce que je te souhaite :

l'ardeur du soleil levant
qui jour après jour,
se lève sur la misère de ce monde.

La crise
est-elle une catastrophe
ou une chance?

Le mot « crise »
est un vieux terme grec.
Dans son originalité il signifie
« discrimination »,
« verdict », « jugement ».
On pourrait dire que la crise,
qui nous fait mal,
ressemble aussi aux douleurs
de l'enfantement.
Elle est un signal.
Elle peut être
un avertissement.
La migraine
et les désagréments
de la « gueule de bois »
après les débordements
de la veille,
sont un avertissement.

Le mal de ventre nous signale
qu'il faut nous nourrir
d'une autre manière.
La crise de l'Occident
se présente aussi
comme une sorte
de « mal de ventre »,
parce-que
nous avons été sursaturés
de biens matériels.
Elle cache
la crise véritable qui est :
la misère spirituelle,
la pauvreté de cœur.
Le pouvoir d'achat
et la consommation
sont en baisse.

Nous possédons
moins d'argent
pour les biens de luxe.
Est-ce une catastrophe
ou une chance?

On se lamente aujourd'hui
sur la crise et ses maux.
Mais, pendant des années,
nous n'avons pas bougé
devant la faim
dans le monde
et ses millions de victimes,
tandis que nous amassions
des quantités incroyables
de viande et de beurre
et que nous dépensions
des fortunes
dans une course folle
aux armements.

Il y a deux issues à la crise.
Ou bien on court
à la catastrophe,
si les nantis —
individuellement
ou collectivement —
abusent de leur force
pour sauvegarder
leurs intérêts et leurs privilèges.
Ou bien on opte
pour la libération,
si l'on renonce au système
qui ne tient aucun compte
des faibles et des démunis,
et qui légalise
la cupidité des puissants.

10

La crise peut être une chance.
Elle nous fait réfléchir
aux vraies valeurs de la vie.
Elle nous fait choisir
ce qui est vraiment important.
Les riches continueront-ils
à s'appuyer massivement
sur leurs privilèges?
Les individus
s'épuiseront-ils toujours
afin de préserver
tous leurs jouets de luxe?
Et, nous tous,
continuerons-nous à polluer
et à empester notre monde?
Ou bien vivrons-nous
autrement,

plus simplement
et plus naturellement,
plus sobrement
et plus humainement?
Allons-nous vivre
enfin à la mesure de l'homme,
et même de l'homme faible?

Parce que chaque homme
mérite considération,
y compris
l'enfant et le vieillard,
le malade et le pauvre.
La crise avec ses restrictions
nous apprendra-t-elle
à élargir nos horizons?

Une ère nouvelle

De chaque crise
peut naître une ère nouvelle.
Le sens de chaque crise,
c'est que l'on sorte
du non-sens
d'un passé absurde.
Une ère nouvelle
commence à la base,
partout
où des gens crient la paix,
l'assainissement
du milieu humain
et le retour à la nature.

Nous avons besoin d'hommes
qui savent
où sont les blessures,
qui connaissent
les causes des malheurs,
et qui savent mettre le doigt
sur les plaies,
avec douceur mais sûrement.

Nous avons besoin d'hommes
comme François d'Assise :
un pauvre,
un homme de Dieu,

sans ambition,
sans prétention,
un homme faible
qui peut guérir justement
parce qu'il est pauvre
et humble,
un « petit frère »
qui aime tout le monde
et qui pèche
par excès d'amour.

13

La violence détruit tout

Les violents sont comme des bulldozers.
Partout où ils passent
c'est la destruction.
Ils écrasent tout ce qui est fragile et faible,
tout ce qui est vulnérable.
Quand ils font irruption
dans le couple et dans la famille,
la vie y devient un enfer.
Partout où ils surgissent,
ils ne laissent que ruine,
angoisse et désespoir.

Les violents mènent tout à la perte.
La violence,
c'est la peste de toute société.
Notre environnement en est pollué.
La joie de vivre et la sécurité agonisent.

De jour en jour,
la presse, la radio et la télévision,
infligent aux hommes une dose mortelle
de violence et de terreur,
de rapts et d'agressions, de prises d'otages,
de cruautés et de meurtres.

Chaque jour, les hommes
sont victimes d'autres hommes.
L'ombre de la violence
obscurcit le bonheur de l'homme.
Mais on ne peut guérir la violence
par la violence.
Il nous faut quitter la voie de la violence.
Il nous faut emprunter de nouveaux chemins :
ceux de l'humanisation.
Et ceux de l'amour.

Le désarmement

Le monde regorge d'armes.
Et des millions d'hommes
meurent de faim.
Cette folie rend la planète
de plus en plus explosive.
Nous vivons
dans le cratère d'un volcan,
qui soudain
peut entrer en éruption.
ça suffit!
Nous voulons la paix.
Nous n'avons plus de choix.
Ou bien le désarmement
ou bien le suicide collectif.
La course aux armements
est fondamentalement
immorale;
elle est une sorte
de criminalité
internationale.
Qui veut la paix
fera le premier pas.
Mais la paix, en vivons-nous
les uns et les autres?
Les armes des arsenaux
ne sont pas les seules.

Le désarmement des cœurs

Parler de désarmement
n'a de sens
que dans la bouche
des hommes
qui portent la paix
dans le cœur.

La maison, le village,
la ville, le pays
ne doivent plus être
un champ de bataille
où l'on se heurte toujours
au droit du plus fort.
Faites la paix dans les cœurs
et dans les foyers.
Vous aurez alors la force
de vous engager
pour la paix dans le monde.
Détruisez dès ce jour
toutes les armes.
Et demain,
si les hommes
ne se convertissent pas
jusque dans le cœur,
ils fabriqueront
de nouvelles armes.

La paix est un oiseau aux ailes blanches
qui éclaire le cœur
et qui fait briller à nouveau les étoiles
au ciel de la maison.

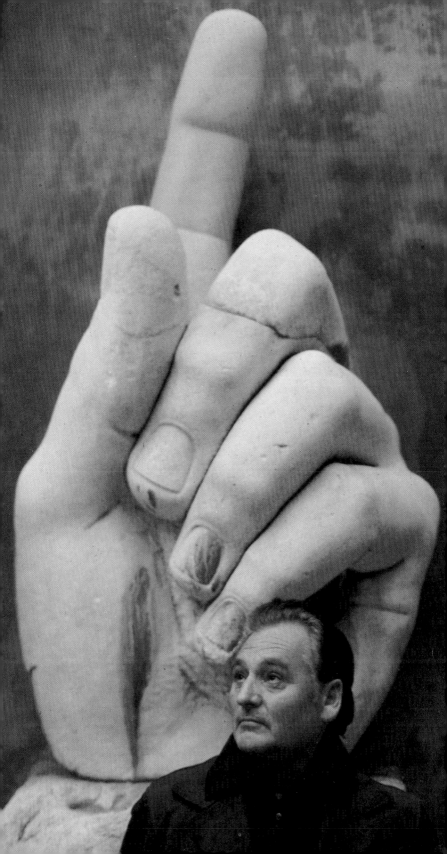

Il y a
des étoiles

Quand s'éteignent
les lumières des hommes,
quand se taisent
les rumeurs du monde,
c'est alors
que s'allument les étoiles
et que le silence
redevient perceptible.
Mais, dans la nuit,
il y a des étoiles
que nous n'avons jamais vues.
C'est seulement
quand l'obscurité s'épaissit
qu'elles se mettent à scintiller.

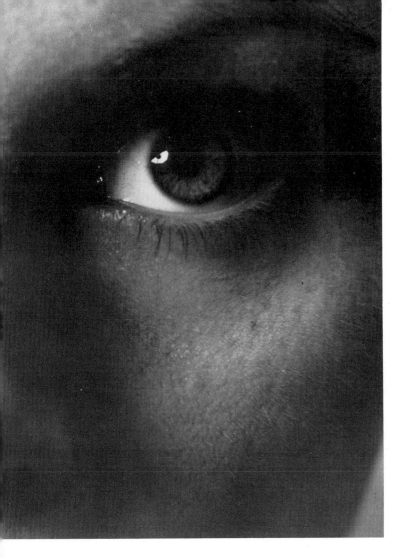

Oui, l'espoir est là,
tout au bout du chemin ;
alors, tu regardes plus loin
car tu t'es mis
à regarder vers le haut.

Quand la crise a tout obscurci,

les enfants de lumière

allumeront les étoiles.

Croire à l'amour

Tous les déserts humains peuvent
redevenir fertiles.
Grâce à l'amour !
L'amour est comme l'eau vive :
une force cosmique,
une source d'énergie inépuisable.

Il ne faut pas désespérer.
La crise
peut nous montrer de nouveaux
chemins pour la survie des hommes.
La crise
va nous libérer de l'épaisse
carapace qui nous enserre,
et qui bouche tous nos pores.
La peau une fois libre,
nous pourrons enfin respirer.

Une nouvelle prise de conscience
doit se faire jour,
pour réhabiliter
les vraies valeurs de la vie.
Les hommes vivants
doivent transmettre la vie.
Tout dépend
d'un nouveau mode de vie,
d'un cœur nouveau.

Tu n'es pas perdu
dans le désert,
si tu ne cesses
de croire à l'oasis.

L'oiseau en cage

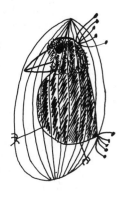

Il y a des oiseaux
prisonniers d'une cage
qui continuent à chanter.
Tu étais un oiseau
au joyeux gazouillis;
et te voici immobilisé,
parce que ton aile est brisée.
Tout s'est arrêté;
tout est sombre,
comme au cœur d'une nuit noire.
Et tu ne sais plus
si tu as encore le goût de vivre.
Mais ton esprit
est plus fort que ton corps.
Une lumière se rallume,
une toute petite lumière
peut-être,
une chandelle minuscule.
Mais, de nouveau,
il t'est possible de voir.
Et voici qu'arrivent des amis,
ils te reconcilient avec la vie.

Ta femme, tes enfants, tes proches:
tous ont besoin de toi, de ton sourire,
de ta présence, de ton affection.

Il y a toujours un chemin

Il y a tant de lumière
en chaque étoile,
et tant d'étoiles en chaque nuit
qu'il est toujours possible
de trouver son chemin,
même dans la nuit la plus noire,
et d'être un guide
pour ceux
qui se sont perdus en route.

Panoramas
mystérieux.

Pour survivre

il faut vivre « autrement ».

Vivre radieux,
vivre heureux,
vivre sainement,
vivre joyeusement !

Au sommet du bien-être,
c'est l'homme qui meurt en toi.
Peut-être es-tu déjà mort?
Mort, l'estomac plein
et le cœur vide.
Mort, en plein confort.
Abattu par le désir de l'argent,
et possédé par ce que tu possèdes.

Ouvre-toi à la vie
et vis !

Ne plus avoir la tête encombrée
par la recherche du « toujours plus ».
Ne plus vivre le cœur serré
par des milliers d'intrigues
pour satisfaire des appétits déréglés.
Se détacher des choses
dont on n'a plus besoin.

Tu le sais bien : Nous sommes faits pour la joie.

Ouvre-toi à la vie
et vis !

La joie envahira ton esprit,
joie et courage de vivre.
Ta maison se fait chaleureuse,
chaleur humaine et confiance.

Tes yeux contemplent à nouveau
la fleur qui s'ouvre.
Tes oreilles écoutent à nouveau
l'oiseau qui chante.
Tu travailles de tes mains.
Tu sais apprécier le noble goût du pain
et la fraîcheur d'un verre d'eau.
Dès que le soleil brille
tu te mets à danser,
et sous la pluie tu n'hésites pas à siffler.

Un brin d'herbe

ne fait pas le printemps.
Mais il renferme
tellement de force
qu'il peut transpercer
l'asphalte inerte
de sa vie verte.

Je ne puis transformer
le désert en un jour.
Mais je puis commencer
pour faire une oasis.

Le soleil se lève
pour tout le monde

Il se lève aussi
pour toi,
si tu ne te caches pas
dans l'ombre.

C'est le printemps

Et toi, petit oignon chéri,
comment devines-tu que le printemps est là ?
Il y a un an je t'ai porté dans ma chambre
pour te poser sur ce rayonnage, à l'ombre d'un livre.
Je ne me suis plus occupé de toi ;
je n'ai rien fait pour toi.
J'attendais, c'est tout, le moment où, peut-être,
j'aurais envie de te goûter...
Pendant toute une année, tu es resté là.
Et voici que tout à coup tu t'éveilles.
Tu n'as pas vu le soleil.
Tu n'as pas été arrosé.
Tu n'as eu droit qu'à mon regard bienveillant.
Et voilà que tu t'entrouves pour me dire :

C'est le printemps

Qui donc a écrit cela dans ton cœur ?
Je voudrais remercier l'inconnu qui t'a ainsi programmé
et qui t'a fait vivre en silence de manière si pleine.
Quelle merveille !
Bien sûr, on pourrait analyser tout cela d'une façon scientifique.
Mais le miracle est là, et le message que tu me transmets :

C'est le printemps

Quel merveilleux jour de printemps,
quel soleil splendide, quelle verdure paradisiaque,
quelle profusion de fleurs !
Et qu'ils sont variés les gazouillis des oiseaux !
Pour vivre tout cela,
je supporterai la pluie et le froid, des mois durant.

Une botte de radis

J'avais semé des radis,
des graines toutes petites,
minuscules.
A peine pouvais-je les tenir
entre mes doigts.
Puis je suis allé me coucher,
et me suis relevé.
Il a plu. Le soleil a brillé.
Je suis allé à mon travail.
Et j'ai oublié les radis.

Mais pendant trois semaines
quelqu'un s'est occupé d'eux.
Il les a recueillis
et nourris avec amour
dans le sein de la terre.
Et les voici devenus gros,
cinq cents fois plus gros
que les graines
semées en terre.
Et pendant plusieurs semaines
nous avons pu déguster
ces beaux radis tout frais.

Un amour formidable
est caché dans la nature

Une fois au moins,
prends le temps
d'observer tranquillement une fleur,
avec attention et avec amour.

Veux-tu connaître le secret
d'un arbre?
Alors, observe bien
ce qu'il te montre.
Tu verras sa richesse
et sa pauvreté:
sa croissance et sa floraison
au printemps,
ses fruits en été,
son agonie en automne,
sa mort apparente en hiver.
Veux-tu connaître le secret
d'un arbre?
Alors ne t'attaque pas
à ses racines.
Car il périrait à jamais.
Eh bien! Pour l'homme,
il en va de même.

Les fleurs s'ouvrent
même si personne ne les regarde.
Les arbres portent leurs fruits
sans se demander qui les mangera.

Le temps se fait court
pour être heureux.
Les jours passent vite.
La vie est brève.
Dans le livre de notre avenir
nous inscrivons des rêves.
Mais une main inconnue
vient les bouleverser.
Nous n'avons pas le choix :
si nous ne savons pas
être heureux aujourd'hui,
ne comptons pas trop sur demain !

Accepte ce jour
à bras ouverts.
Fais bon accueil
à ce qu'il te donne :
la lumière de ce jour,
l'air et la vie,
les rires de ce jour,
les pleurs et les jeux,
l'émerveillement de ce jour.
Fais bon accueil à ce jour !

Tu ne vis qu'un seul jour :

c'est aujourd'hui !

Dans un petit village — peu importe l'endroit —
vivait un vieil homme, plein de sagesse.
Il avait atteint l'âge de quatre-vingt dix ans,
et paraissait heureux et satisfait.
Quelqu'un lui dit : « Tu as eu une belle et longue vie. »
Le vieil homme tira vivement sur sa pipe et répondit :
« Tu ne vis qu'un seul jour. »
Voilà ce que la vie lui avait appris.

Tu ne vis qu'un seul jour : c'est aujourd'hui !

Pour vivre vraiment, il faut vivre le jour présent.
La vie est brève et s'écoule très vite.
Si tu ne vis pas le jour présent tu as perdu ta journée.
Que la peur et la hantise de demain
n'assombrissent pas ton esprit.
N'alourdis pas ton cœur par toutes les misères d'hier.

Vis le jour présent !

Souviens-toi sereinement des bonnes choses d'hier.
Rêve aussi aux beaux jours qui demain pourront survenir.

Mais ne te perds pas dans le passé,
ni dans ce qui sera demain.

Vis le jour présent !

Notre vie est donnée, par tranche de 24 heures.

Chaque jour est un jour nouveau.

A *chaque jour,*
mettons un point final,
tournons la page
et repartons à neuf.
Chaque soir,
rendons notre page
telle qu'elle est.
Remettons-la
entre les mains d'un père.
Et, le lendemain,
après avoir bien dormi,
tout sera neuf.

Un homme heureux en vaut deux.

Un homme heureux
vit en paix et répand la joie.
Son entrain
fait le bonheur des autres.
Il pense au bien qui existe ;
il a beaucoup d'amis.
Il illumine
tout ce qui est noir.

Un homme heureux
ne se perd pas
dans ses propres problèmes.
Il agit par lui-même
et n'attend pas
tout des autres.
Il ne croit pas
que le bonheur
nous est donné
comme le gros lot
d'une loterie.

Il sait que le bonheur
est comme l'ombre
qui nous suit,
quand nous n'y pensons pas ;
le bonheur est comme l'écho
qui répond
au don de soi-même.

Un homme heureux
porte bonheur.
Un homme malheureux
cause bien des soucis.
Un homme heureux
n'est jamais dangereux.
Il sait que le bonheur
est composé
de mille morceaux,
et que toujours
il en manque un.
Mais il veut l'oublier
et se réjouit de ce qu'il a.

Seul un homme heureux
  peut rendre les autres heureux.

Le bonheur ne s'achète pas
Quelle chance !

Le bonheur n'est pas une marchandise.
Bien des gens sont malheureux
parce qu'ils croient que le bonheur s'achète.
Celui qui possède beaucoup d'argent peut dépenser des fortunes
et rester intérieurement pauvre.
Avec l'argent on n'achète qu'un bonheur de pacotille
et le sentiment d'insatisfaction persiste toujours.
Mais celui qui en possède trop peu,
se trouve souvent exclu du bonheur.
L'argent est nécessaire pour vivre dans la dignité,
tandis que le superflu empêche la plupart du temps
de vivre en homme heureux.
Pour être heureux
il faut être totalement libre vis-à-vis de ses biens,
et les riches doivent donner l'exemple.

Le prix du bonheur

Si nous voulons être heureux, il faut payer le prix.
Le prix de notre bonheur, c'est de nous donner nous-mêmes.
Ni plus ni moins.

Se donner soi-même :
ce n'est ni du fanatisme, ni de l'orgueil,
ni un devoir ennuyeux, ni un sacrifice douloureux.
C'est un acte libre, accompli dans la joie et l'amour.
Et voilà que le bonheur apparaît comme l'ombre de l'amour.

L'art de vivre :
être heureux à bon marché

Si l'argent est tout ce que je possède,

je ne vaux pas un sou.

L'argent n'est pas chose mauvaise.
Pour beaucoup, l'argent,
c'est le pain et la vie,
le minimum indispensable.
Mais quand il devient une idole,
la loi de la jungle s'installe dans le monde
et dans le cœur des hommes.
On s'agenouille
et on se prosterne devant l'argent.
A cause de l'argent,
l'homme devient un loup pour l'homme.
On s'entre-déchire.
La soif de l'argent mène à la corruption,
dessèche le cœur
et tue en chaque homme
le sens de l'homme.

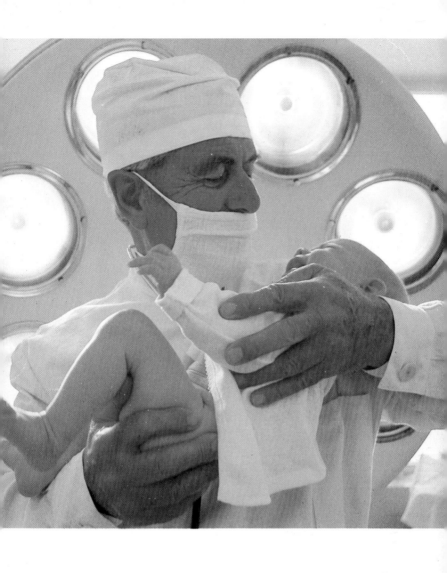

*Ce que je suis
compte infiniment plus
que ce que je possède*

*Homme,
tu vaux plus
que ton argent.
Ta valeur
ne se compte pas
au poids de l'or.*

*Les biens les plus précieux,
tu ne pourras jamais les échanger contre de l'argent.
Ce sont : la bonté, l'affection, la sympathie, la bienveillance,
l'accueil, la miséricorde, la compassion, l'amitié.*

41

L'amour
t'est plus nécessaire
que l'argent.

Le pouvoir d'achat
du bonheur
c'est l'amour.

Tu ne deviendras
vraiment homme
qu'en aimant.

L'homme le plus riche lui-même meurt pauvre.

L'homme le plus riche doit lui-même tout laisser derrière lui.
La seule chose qu'il puisse emporter,
c'est la richesse de son cœur,
c'est l'amour dont il a aimé les autres.
La richesse matérielle conduit souvent
à l'appauvrissement des relations avec autrui.
Le fossé qui sépare tant d'hommes
et qui fait de nous des concurrents ou des ennemis,
c'est le fossé entre les riches et les pauvres.
Tant qu'on ne l'aura pas comblé,
les belles paroles sur la communauté et la fraternité
demeureront des phrases creuses.

La richesse du cœur ? C'est un sourire, une poignée de main,
un geste amical, une parole de sympathie.
Les signes les plus simples deviennent des cadeaux.
Celui qui a perdu le sens de cette richesse
part à la recherche de compensations
et se jette à corps perdu dans une course aux choses mortes.
Dans sa chasse insensée au « toujours plus »
il se retrouve cruellement seul avec lui-même,
isolé sur l'îlot stérile de son « moi ».

La mort a beaucoup à nous dire, surtout si nous sommes riches.
La richesse met en danger de mort.
L'homme perd très vite sa dignité quand il est riche.
Pourquoi la mort est-elle aujourd'hui l'objet d'un tabou ?
Penser davantage et mieux à la mort
apprend à vivre de manière plus paisible et plus épanouie.

C'est ici bas que la vie a de l'importance, et non pas sur mars...

C'est ici bas
que la vie a de l'importance,
ici sur cette petite planète,
dans ce petit village
qui porte le nom de « Terre ».
Pourquoi chercher la vie
sur Mars,
à 320 millions de kilomètres
alors que sur cette terre,
des millions d'hommes
n'ont pas la possibilité
de vivre ?
Pourquoi des hommes
meurent-ils de faim ?
Pourquoi des enfants
sont-ils abandonnés ?
Pourquoi y a-t-il
des prisonniers politiques ?
Pourquoi des hommes
sont-ils torturés ?
Pourquoi élimine-t-on
les improductifs ?

**Les hommes
sont confiés aux hommes.**
Alors,
pourquoi la vie humaine
n'est-elle pas respectée,
jusque dans le sein de la mère ?
Même en ses premiers débuts
la vie humaine
est une vie humaine.

Elle est toute autre
que la vie animale
et appelle un absolu respect.
La vie humaine
ne peut pas dépendre
d'un pluralisme idéologique.

La protection
de la vie appartient
à l'humanisme pur.

Une idéologie
qui justifie l'abolition
de la vie humaine
en ses débuts,
ressemble à celle
qui est à la base
des camps de mort.
Dans une société humaine
la misère sociale et psychique
doit être soulagée
par d'autre moyens
que l'intervention chirurgicale.
On évoque rarement
les hommes
dans les problèmes
de l'avortement.
Seules les femmes
semblent concernées.
La responsabilité des hommes
se limiterait-elle
au seul acte chirurgical ?

Soyons une oasis où l'on s'émerveille de la vie, de toute vie :
y compris de la vie qui demande peine et effort.

Qui ne peut rire
ne peut vivre !

Regarde ton visage
dans un miroir.
C'est derrière lui que tu habites.
C'est sur ton visage qu'on peut voir
si tu portes un masque :
méprisant pour tes inférieurs,

Indifférent pour tes égaux,
obséquieux pour tes supérieurs ;
souriant d'office en affaires,
morose dans le travail,
désinvolte au café,
agressif au volant,
renfrogné à la maison.

C'est toi qui habites
derrière ton visage.
Ton visage
est le miroir de ton intérieur.
Si tu ne sais pas rire,
c'est qu'en toi quelque chose ne va plus.
Ton cœur est malade.
Un visage morne
est le signe d'un cœur sec.
Ceux qui ont une triste mine
rendent la vie triste.

Guéris ton cœur.
Fais un miracle.
Souris dans la rue,
au bureau, au guichet,
en voiture,
à la maison, au travail,
simplement
parce que c'est bien de le faire.

Qui ne peut rire... ne peut vivre.

Ce qui manque aux hommes : une colonne vertébrale.

Les hommes sont formidables.
Ils se lancent
avec enthousiasme :
dans le mariage, la profession,
la poursuite d'un objectif...
Ils se sentent forts,
jusqu'à ce
qu'adviennent les difficultés,
les heures dures, les échecs.
Et quand vient la nuit,
beaucoup connaissent
angoisse et abandon.
« Je n'en puis plus. »
— « C'en est trop. »
« J'en ai assez. »
— « A quoi bon ? »
« C'est la faute des autres,
de la société,
des circonstances,
des structures... »

Ce qui manque aux hommes,
c'est une colonne vertébrale !
La colonne vertébrale,
c'est la force,
la stabilité,
la confiance en soi-même,
en son travail,
en sa valeur,
en son prochain.
La colonne vertébrale,
c'est la maîtrise
de ses sentiments
et de ses humeurs.
La colonne vertébrale,
c'est la persévérance.

Il y a des hommes
sans colonne vertébrale
parce qu'ils sont nés ainsi,
parce que leurs parents
n'avaient pas
de colonne vertébrale.

Ne leur reprochons rien.
Il y a des hommes
sans colonne vertébrale
parce qu'ils sont devenus tels :
parce que durant
leur éducation des mots
comme « courage »
et « caractère »,
« volonté » et « sacrifice »
sont restés tabous.
Soyons indulgents
à leur égard.

Il y a des hommes
sans colonne vertébrale,
parce que le poids de la vie
ou l'injustice des hommes
la leur a brisée ou broyée.
Sachons les aider
et les encourager.

On a besoin
de colonne vertébrale
pour se tenir debout
comme des hommes,
pour garder la tête haute,
pour assumer
les responsabilités,

pour supporter
ses revers et les soucis,
pour rester ferme
dans la tempête
et ne jamais capituler
ni devant la violence,
ni devant l'argent.
On a besoin

de colonne vertébrale
pour tenir bon
là où d'autres fléchissent,
pour rester debout
et marcher droit
sur le chemin
qu'on a choisi.

Seuls les hommes
qui ont une colonne vertébrale
bâtissent un monde nouveau.

Les mains et l'esprit

Dans l'industrie,
les mains des machines ont pris la place de celles des hommes.
Ce n'est plus l'homme qui commande mais la machine.
La machine dicte son rythme bien souvent inhumain.
Sa cadence étouffe l'esprit, elle enlève au travail son âme et sa joie.

Les mains sont magnifiques.

Aucun appareil au monde
n'est aussi parfait et d'une telle diversité. ·
L'usage qu'on en peut faire dépasse l'imagination.
La mobilité des mains vient d'une énergie intérieure
et n'a besoin d'aucun apport extérieur.
Les mains peuvent accomplir des miracles.
Elles peuvent parler, une langue souvent plus riche que les mots.
Les mains peuvent écrire ce que l'on pense.
Les mains peuvent extérioriser ce que l'on ressent.
Les mains peuvent peindre et exécuter de la musique.
Les mains peuvent donner forme
à un rêve et guérir un cœur affligé.
Les mains peuvent apporter lumière et chaleur à l'esprit obscurci.

Les mains possèdent
une force de guérison.

Des mains te sont données pour entrer en contact
avec notre mère la terre, avec toute la nature
et avec ceux qui t'entourent.
Des mains te sont données pour la santé de ton esprit.
Travailler avec tes mains c'est soulager ton esprit.
Les moines le savent bien :
ils travaillent dans les champs plusieurs heures par jour.
Quand l'esprit est bloqué, les mains peuvent le débloquer,
et trouver la paix et un nouvel élan.
L'homme est une unité admirable.
Mais un style de vie malsain et contraire à la nature
a détruit cette unité.
Beaucoup trop d'hommes
ont l'esprit malade et sont à bout de force.

Travailler de ses mains :
c'est le moyen le plus simple,
le plus naturel et le plus efficace.

Pour guérir l'esprit.

L'homme et la voiture

Il ne faut pas
calomnier la voiture.
A bien des égards,
elle nous rend grand service ;
mais il ne faut pas en être esclave.

L'homme est marié à sa voiture.
Un mariage indissoluble !
Partout la voiture a envahi
l'homme et son territoire.
Bénie soit la voiture !
Vive la voiture !
Tu l'adoreras de tout ton argent,
au prix même de ta vie.
Tu lui donneras priorité
sur tous tes chemins.
Tu ne construiras pas de maison
sans garage
(et l'on ne parlera pas
de la place des enfants).
L'auto est une chose sacro-sainte.

Quand éclate une épidémie qui fait périr
des centaines d'hommes en un seul mois,
on instaure l'état d'urgence.
Quand une catastrophe fait disparaître ent personnes d'un coup,
on décrète un deuil national.
Mais lorsque en France 12 000 personnes
trouvent la mort chaque année sur les routes
et que des milliers d'autres sont condamnées
pour le reste de leurs jours à vivre handicapées,
on dit que c'est la conséquence logique du progrès technique
Si quelqu'un allume un feu dans son jardin
et que la fumée importune le voisinage,
on prononce une peine contre cet homme.
Mais quand une voiture empoisonne l'atmosphère
de 290 kg de monoxyde de carbone
pour 1000 litres d'essence consommée,
alors personne ne trouve utile de tirer le signal d'alarme.

Arrête la voiture !

Surtout quand elle menace l'homme,
quand elle met en danger les enfants,
les piétons, les promeneurs, les cyclistes.

Rends la vie dure à la voiture !

Surtout là où l'homme habite,
là où la nature est encore en paix,
et où l'air est encore pur.

Marche donc un peu !

Cela te changera la vie.
Ton cœur,
tes poumons et tes jambes
t'en seront reconnaissants.
De nouveau,
tu rencontreras des gens.
Le magasin est au coin de la rue.
La salle de réunion,
deux rues plus loin,
et l'église tout au centre.
Laisse un peu la voiture au garage,
surtout quand il fait beau.
Prends plaisir à parler,
à rire et à jouer.
Rends la rue aux gens,
aux enfants, aux vieillards.
Que le cœur du village
et le centre de la ville
soient débarassés de voitures,
pour devenir une oasis
réservée aux hommes,
une oasis à l'air pur
et à l'atmosphère cordiale.
Et il est sain que les enfants
aillent à l'école à pied.

Pour tout homme,
il existe quelque part
un petit bout de ciel
sur terre.

Les hommes
sont des oiseaux étranges.

Pour les vacances,
il leur pousse des ailes
et ils prennent leur envol.
Plus ils peuvent voler,
plus loin ils veulent partir.
Loin de leur travail
et de leur voisinage.
Que cherchent-ils ?
Le paradis,
avec ses superbes couleurs
de prospectus
d'agences de voyages.

Que trouvent-ils ?
Des campings surchargés,
des hôtels hors de prix,
des plages surpeuplées.
Et, auparavant,
des heures d'attente
dans les embouteillages,
jusqu'à la fatigue
et l'épuisement.
Les hommes
sont des oiseaux étranges.
Ils doivent réapprendre à vivre.

Goûte la vie et les choses simples

Vacances !
reviens à toi !
viens au calme !

Reviens
à toi !
viens au calme !

Ce ne sont pas les kilomètres
qui procurent la détente.
Toutes ces voitures,
ces millions
de petites maisons mobiles
s'étirant
les unes derrière les autres,
voilà qui dépense
beaucoup d'énergie,
en épuisant l'homme
et en polluant l'atmosphère.

La distance à parcourir
n'est pas si longue.
C'est celle qui sépare en toi
l'extérieur de l'intérieur.
C'est ta vie intérieure
qui est en cause.
S'il n'y règne pas la paix,
tu ne trouveras
nulle part la paix.
Mais si la paix et la joie
habitent ton cœur,
tu peux aller où tu voudras.
Tu auras de vraies vacances.

Chercher la tranquillité,
trouver le calme.
C'est là qu'habite cette joie
que le bruit et le rythme effréné
ont fait disparaître.

Les vacances : le temps de l'amitié

En vacances,
nous prenons le temps
de voyager,
de visiter les vieux châteaux
et les églises,
de nous étendre
au soleil sur les plages ;
et aussi de manger
d'une façon saine et copieuse.

C'est le temps
des photos et des souvenirs.
En vacances!
Prenons le temps de l'amitié.
Prenons le temps
de fréquenter les gens
sans nous presser,
d'offrir notre compagnie
à celui qui est seul

dans la foule des vacanciers;
prenons le temps
de rendre grâce pour la vie;
le temps de nous réjouir
des merveilles de la nature
et de lier avec elle
un pacte d'amitié.

Mon prochain est ici !

Pourquoi le chercher si loin ?

Mon prochain,
c'est celui
qui espère et attend l'amour,
celui qui a besoin
de mon attention
et de mon amitié.
Mon prochain :
c'est celui que je peux aider
chaque jour sans relâche,
d'un regard bienveillant,
d'une parole chaleureuse,
d'un geste amical.
Il n'habite pas au-delà des monts,
il n'habite pas outre-mer.

Mon prochain est ici !

Mon prochain !
Chez moi, dans mon foyer,
c'est mon mari, c'est ma femme,
c'est mon enfant, et tout enfant
qui cherche la chaleur de mon cœur.
Ce sont mon père et ma mère
qui, devenus vieux,
ont besoin de mon attention,
et par-dessus tout,
de mon affection filiale.

Mon prochain est ici !

Mon prochain !
C'est le malade d'à côté
au lit depuis si longtemps,
et qui n'a pas encore
reçu ma visite.
C'est l'aveugle
à qui je pourrais lire le journal.
C'est le collègue
qui a perdu son travail,
à qui plus personne ne pense,
et qui est profondément déprimé.
Mon prochain est ici !

63

Quand tu me veux du bien, | c'est alors que je deviens meilleur.

Pour que les plantes grandissent et s'épanouissent,
il faut un climat favorable.
De même, le développement d'un homme
dépend du climat spirituel dans lequel il vit.

Les fleurs ne peuvent s'ouvrir
sans la chaleur du soleil.
Les hommes ne peuvent pas devenir des hommes
sans la chaleur de l'amitié.

Le comportement humain est conditionné
par ce que l'on éprouve l'un à l'égard de l'autre, l'un pour l'autre
en privé ou en public, consciemment ou inconsciemment.
L'indifférence et le mépris
éloignent les hommes les uns des autres :
l'atmosphère devient froide,
la température tombe au-dessous de zéro.
La compréhension et la confiance rapprochent les hommes
et le monde se réchauffe.

Quand je pense du mal de quelqu'un,
je le repousse et je lui fais mal.

Quand je pense du bien de quelqu'un,
c'est comme si je lui disais :
tu ne m'es pas indifférent, tu comptes pour moi,
tu mérites mon attention,
tu as ta place.

La critique négative
est un poids mort.

Ceux qui ne savent que critiquer
sont des ronchonneurs qui se mêlent de tout,
des défaitistes qui dénigrent tout,
des pessimistes qui voient tout en noir,
des spécialistes en démolition.
Avec eux, rien ne reste debout,
rien ne demeure en paix, rien n'a plus de valeur.

La critique est nécessaire.

La critique authentique découvre l'abcès sous l'épiderme,
tout en proposant des remèdes.
La critique authentique agit sur une société engourdie
comme une douche froide favorise la circulation du sang,
comme un massage énergique assouplit les muscles,
comme un sécateur taille sur le vieil arbre
les rameaux malades ou desséchés, afin que l'arbre
puisse respirer et revivre, grâce à des forces neuves.
La critique est nécessaire à la vie.

La critique négative est un poids mort.

Celui qui émet des critiques malsaines
n'apporte rien de neuf car il est lui-même déjà mort.
Il est lui-même un abcès, un poids mort.
Il met un frein à tout. Il entrave tout mouvement.
Il ressemble à un jardinier insensé
qui taillerait à mort des arbres au printemps,
pour la seule raison qu'ils ne lui plaisent pas.
Un bulldozer fait vite table rase de tout ce qu'il rencontre,
car il n'a pas d'alternative.

Ton sens critique !

Critiques-tu les autres,
les groupes et les associations,
les événements et les faits,
les hommes et les situations,
parce que tu cherches leur bien,
parce que tu désires
que l'on vive mieux ?
Si oui, n'aie pas peur,
utilise la critique.
Ta critique sera une bénédiction !

Ta critique se fonde-t-elle
sur des préjugés idéologiques ?
S'alimente-t-elle de haine,
de cupidité,
d'étroitesse d'esprit ?
Est-elle envahissante, blessante,
dévastatrice ?
Si oui,
tu pratiques une critique morbide,
tu es un spécialiste en démolition,
qui ne laisse
que ruines derrière lui.

Quand je fais le bien,
personne ne le remarque
et personne n'en parle.
Mais si je fais un faux pas,
tout le monde le voit,
et tous mes proches
sont au courant.

La critique la plus difficile,
c'est l'autocritique.

La bonne autocritique
est tout le contraire du doute
et des pensées moroses.
La morosité
sape les fondements
de la confiance en soi.
La vraie autocritique
n'est jamais négative.
Elle n'est ni mépris de soi
ni volonté d'autodestruction.
L'autocritique conduit
à la connaissance de soi;
elle est libératrice
et protège du désenchantement.
Mais l'autocritique
est chose bien difficile.
Les hommes
sont pleins de préjugés
les uns à l'égard des autres.
Leur parti-pris les conduit
à se jeter au visage
des critiques féroces.
Rien n'échappe
à la critique radicale
des groupes extrémistes;
eux en revanche
ne souffrent aucune critique

ni de l'intérieur
ni de l'extérieur.
La critique méchante
trahit l'insécurité
et l'angoisse personnelles.
La critique sans autocritique
est une fuite
pour échapper à soi-même
et à sa responsabilité propre.
La libération véritable
commence
quand on se regarde
de façon critique
dans un miroir.
De quoi ne me suis-je pas
encore débarrassé?
Pourquoi suis-je si dur
envers autrui?
Qui se regarde dans un miroir
découvrira sans doute
pourquoi il rejette obstinément
certaines personnes
ou certains groupes.
Devenir plus loyal
à l'égard de soi-même,
c'est se disposer
à mieux comprendre les autres.

Pour changer

le monde,

commençons

par

nous transformer

nous-mêmes !

Si on devient les ennemis
les uns des autres,
on ne peut plus parler ensemble,
ni manger ensemble,
ni habiter ensemble,
ni travailler ensemble,
ni vivre ensemble :
on peut seulement se battre ensemble.

Si tu considère les autres
comme des ennemis,
tu te met à claquer les portes,
à serrer les poings,
à te munir d'armes.
Déjà tu es devenu meurtrier
dans ton cœur.

Tu peux haïr le mal ;
le mal, l'obscurité, les ténèbres.
Tu peux haïr le mensonge,
la fraude et la corruption,
jusqu'au plus profond des hommes.
Mais quand tu commences
à haïr les hommes mêmes,
tu fais des victimes,
et au fond de toi-même
tu es convaincu
qu'ils ont bien mérité tes coups.

Toute la misère
de notre justice humaine
se trouve entre la « haine »
et le « meurtre ».

Pour éviter la panne,
il faut mettre de l'huile dans les machines
et de l'amour dans la société.

Grandes ou petites,
les raisons de se haïr
sont toujours moins graves que les conséquences.

Aimer les hommes

Un homme
est un être insaisissable :
il fascine,
mais on ne peut le saisir.
Je pourrais aller à la rencontre
de tous les hommes,
les contenir
tous dans mon cœur.
Et pourtant, je sais bien
que nulle rencontre,
nulle relation
ne peut me combler.
Tout est si provisoire !
Un bonheur est passager
et imparfait.

Aimer les hommes,
c'est une grande joie.
Non pas tant
pour leur apparence
parfois agréable,
mais surtout pour le secret
inépuisable et merveilleux

qui se cache en tout homme ;
et à cause de l'amitié,
tout simplement.

Il faut que les hommes
deviennent amis,
de véritables amis.
Un ami, c'est quelqu'un
qui s'engage à faire avec moi
un bout du même chemin.
Je ne suis plus seul.
Des amis ne se regardent pas
l'un l'autre ;
ils fixent plutôt leur regard
en commun
dans la même direction.
Les vrais amis
ne s'attachent pas
l'un l'autre à la même chaîne.
Ce serait la mort de l'amitié.
Les amis véritables
savent se rendre libres
l'un à l'égard de l'autre.

Ce ne sont pas les présents
qui sont importants.
C'est l'amitié qui compte !

Il n'est jamais trop tard pour se réconcilier.

Au firmament de notre vie commune,
le soleil se trouve obscurci
par les nuages de la méfiance,
par les nuées de la discorde,
du soupçon et de l'hypocrisie,
par la nuit de la colère
et de la haine.

En nos vies,
le soleil se trouve caché
par les murs que nous avons élevés
entre les hommes,
des murs invisibles et sinistres :
en nos propres demeures,
entre nos familles et nos proches.
Nos portes
demeurent hermétiquement closes
devant ceux
que nous ne voulons plus voir.

La réconciliation :

c'est la seule main
qui peut chasser les nuages.

La réconciliation :

c'est la lueur de l'aube,
qui chasse progressivement la nuit.

La réconciliation :

c'est la clé qui permet de réouvrir
des portes trop longtemps closes.

*Il n'est jamais trop tard
pour se réconcilier,
parce qu'il n'est
jamais trop tard
pour aimer,
ni jamais trop tard
pour être heureux.*

*Celui qui ne veut
jamais se réconcilier
demeure dans la nuit.
Il garde dans son cœur,
comme un cancer,
ce ressentiment perpétuel.
Celui qui ne veut
jamais se réconcilier
se punit d'abord lui-même.*

*La réconciliation
peut paraître impossible,
parce que toute réconciliation
exige un rapprochement
de part et d'autre.
La réconciliation ne se décrète pas.
Il faut en jeter la semence :
en petites graines de paix
et d'amitié.
Au bord des chemins
où l'on rencontre son prochain,
il faut
laisser pousser la réconciliation.*

*Réconcilie-toi
avec tous ceux qui t'entourent,
autant qu'il dépend de toi.*

Il n'est jamais trop tard.

Le partage fraternel

Voici une série de questions
dont tout dépend,
des questions que les experts
ne posent jamais,
parce qu'elles sont au-delà
de la science et des techniques.

Le partage fraternel
— comment le faisons-nous?
Osons-nous encore en parler?
Sommes-nous des hypocrites?
De belles paroles
à la place des actes?
Vivons-nous
vraiment autrement?

Le partage fraternel
— comment le faisons-nous?
A l'usine? A l'école?
Comment partageons-nous
nos responsabilités,
notre travail,
nos revenus,
notre souci pour les autres?
Comment, en famille,
partageons-nous
joies et peines?
Et, pour finir, comment
partageons-nous l'héritage?

Le partage fraternel
— comment le faisons-nous
à l'intérieur de notre pays?
Comment le revenu national
est-il réparti?

Qui renonce à l'augmentation
d'un salaire déjà convenable?
Qui refuse des rémunérations
ou des honoraires
ne correspondant
d'aucune manière
à la prestation fournie?
Et ceux qui appartiennent
aux catégories
les plus favorisées,
donnent-ils l'exemple
de la modération?
Pourquoi chacun cherche-t-il
à tirer
le maximum d'avantages
de l'Etat, tout en répugnant
à lui verser ce qui lui est dû?

Le partage fraternel
— comment
se passe-t-il dans le monde,
notre vaste village?
La maladie la plus grave
de notre riche Occident,
c'est l'indifférence
à l'égard des pauvres.
Les coûteuses
conférences internationales
échouent
les unes après les autres.
L'Occident vit
et meurt en vase clos:
celui de son égoïsme
monstrueux.

Pour survivre
il faut vivre autrement,
croire à d'autres valeurs qui sont plus importantes
que l'argent et le confort ;
il faut développer un nouveau style de vie.
Nous ne pourrons partager fraternellem·nt
qu'à la condition de :

Vivre fraternellement

Mon frère

Tu n'es pas mon frère,
si tu me donnes
seulement ton superflu,
si je n'entends
jamais battre ton cœur,
si je ne sens pas
ton amitié en ton don.

Tu n'es pas mon frère,
si tu n'attends rien de moi,
si face à ta charité
je suis incapable de te donner
quoi que ce soit.

Tu n'es pas mon frère,
si tu penses que je suis pauvre
parce que
je ne possède pas ce que tu as,
si tu penses que je suis parresseux
parce que je n'ai pas ton rythme;
si tu penses que je suis dépendant
parce que tu ne vois pas
tes propres chaînes;
si tu penses
que je suis sous-développé
parce que je n'ai pas tes diplômes.

Tu ne seras mon frère
que si je peux devenir
ton père, ta mère,
ton enfant, ton frère et ta sœur,
que si je peux être
membre de ta famille.

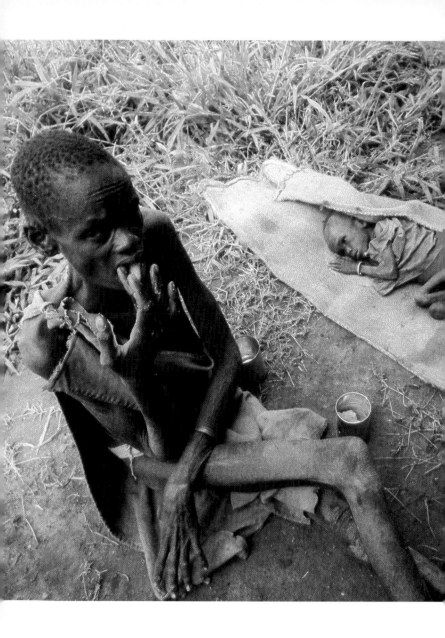

Ils ont faim...

... les pauvres qui, impuissants,
voient mourir de faim leurs enfants;
les paysans de nombreux pays qui,
soumis à une exploitation effrénée,
doivent s'incliner
devant
les généraux
et les grands propriétaires;

les dissidents de tous pays
arbitrairement détenus dans les camps
et les hôpitaux psychiatriques,
parce qu'ils ont critiqué
un régime de dictature ;
et tous les inconnus
arrêtés, torturés, mis à mort,
à cause de leurs actions
pour la justice,
de leurs options politiques,
de leur religion
ou pour rien du tout ;
les laissés pour compte de nos pays
qui font l'objet
de tant de discours et d'articles,
et en faveur de qui personne
ne s'engage efficacement,
en payant de sa personne.

Ils ont faim

de pain et de travail,
de santé et d'éducation,
de justice,
de paix et de liberté,
d'une vie digne de l'homme.

Que pouvons-nous faire ?

Quand près de nous
et dans les pays lointains,
la misère des hommes est si grande,
nous ressentons
l'impuissance de notre cœur
et la limite de nos forces.
Une douleur lancinante nous étreint :
elle tient nos consciences en alerte
et nous incite à agir
pour soulager la peine des hommes.

Ne pas désespérer

L'espoir des pauvres
vit en tout homme
qui s'est libéré du pouvoir
et de l'avoir en vue
de partager humblement
la vie des pauvres.
L'espérance vit
en des milliers d'hommes
et femmes de chez nous
qui ont renoncé à tout
— à leur maison,
à leur propriété
et à leur carrière,
qui risquent leur santé
dans les bidonvilles,
dans les steppes,
sur les hauts-plateaux
et ailleurs,
afin de partager
les conditions de vie,
la misère et l'insécurité
des plus pauvres.
Ils sont le « pain » des pauvres,
un pain
fraternellement partagé.

L'espoir des pauvres
ne se trouve pas dans
les planifications de prestige,
pour lesquelles on dilapide
tant de fonds
de développement;
il est dans les humbles oasis,
dans les petites initiatives
qui permettent aux pauvres
de prendre des responsabilités.
L'espoir des pauvres
vit en chacun de nous,
écœuré par les lamentations
et les plaintes abusives
proférées sur la crise
et ses conséquences.
Cela nous fait oublier
la crise réelle
de millions d'hommes
qui ont faim,
et qui pousseraient
des cris d'allégresse
pour tout
ce qu'ils trouveraient
dans nos poubelles.

L'espoir
renaît
avec le partage
fraternel.

Nul n'a droit
à des privilèges!

Il est bon de recevoir des remerciements
et des témoignages de reconnaissance
pour les services rendus aux autres ou à la société.
La reconnaissance et la gratitude
peuvent s'exprimer au moyen de cadeaux ou de faveurs.
Tout ceci est bon et très humain.
Mais lorsque cela engendre des avantages durables
face au commun des mortels, on doit alors parler de privilèges;
et l'on doit dire qu'apparaît une classe de privilégiés.

Les soi-disant droits acquis
constituent souvent des privilèges abusifs.
Un privilège est une injustice
quand il fait obstacle au droit d'autrui.
Nul n'a droit à des privilège, car tous les hommes sont égaux.
Combien de temps faudra-t-il attendre
pour qu'en cette période de crise
les privilègiés renoncent librement à leurs avantages?

La personne handicapée

Acceptons les handicapés comme des frères, vivons avec eux.

Pour les handicapés,
les obstacles les plus sérieux
se trouvent
dans le cœur de leur prochain.

Le fondement
de toute communauté humaine,
c'est le respect de l'homme tel qu'il est,
avec ses qualités et ses limites,
ses capacités et ses chances.
C'est au cœur de la vie quotidienne
que chacun doit pouvoir développer
ses propres capacités.
Les lois, les règlements
et les théories n'ont jamais suscité
de véritable vie commune.
Celle-ci réclame des hommes concrets,
rayonnants de lumière,
porteurs de force épanouissante,
dignes de confiance et solides ;
bref, des « hommes » authentiques.
Souvent les handicapés
contribuent davantage
au développement social
que ceux qui se répandent
en belles paroles.
Il s'agit en effet de l'attention au prochain,
de la reconnaissance d'autrui,
de l'estime mutuelle
et de l'amitié entre les hommes.
Quiconque vit en permanence
avec des handicapés
sait bien que les études scientifiques
les concernant sont souvent ressenties
comme des obstacles.
L'attention concrète
à l'égard des handicapés s'enracine
dans un profond sentiment de respect.
Or, de trop nombreuses théories
s'éloignent de la réalité :
elles tuent le fragile mystère
de chaque homme.
La personne handicapée
n'a nul besoin d'une compassion
qui viendrait d'en haut ;
elle ressent le paternalisme
comme une attitude humiliante
et souvent même blessante.

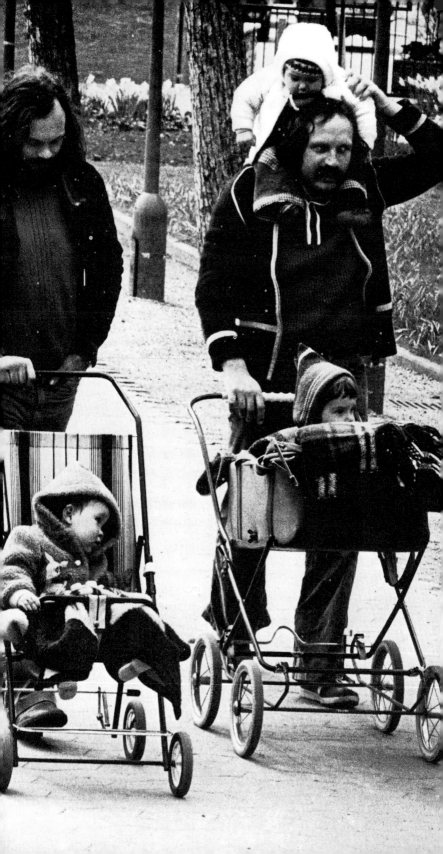

Petit homme,
pour moi
tu es grand !

Jamais on ne rencontre
ton nom dans le journal.
Jamais on ne te donne la priorité.
Avec bien d'autres, tu passes inaperçu,
toujours dans l'ombre.
Tu fais ton travail,
ton travail habituel de chaque jour.
Tu es le piéton
auquel on ne prête pas attention,
et qui doit bondir de côté
quand surgit une auto.
Tu roules en vélo,
et quand il pleut,
les voitures t'éclaboussent.
Tu rentres à la maison,
et les enfants te sautent au cou.

Petit homme,
pour moi
tu es grand !

Petit homme, tu n'es pas riche.
Tu n'as pas de compte en banque.
Tu as des mains pour donner.
Tu n'es ni de droite, ni de gauche.
Tu ne te bats pas avec tes poings.
Tu ris et tu aimes les autres.
Petit homme, tu es un vrai homme,

Petit homme
pour moi tu es grand !

et c'est pourquoi tu es grand.
Peut-être n'as-tu personne,
peut-être es-tu tout seul.
Personne n'attend ta venue.
Personne ne sait que tu es là.
Personne ne te dit : bonjour !
Personne ne te dit : bonne nuit !
Tu parles à ton chat,
ou à ton chien.
Les enfants dans les rues
font ta joie.
Tu t'assieds sur le banc du parc ;
tu as emporté des graines
pour les donner aux oiseaux.
Tu es proche des choses simples.
Tu es proche de la nature.

C'est pour toi
que le monde respire encore.

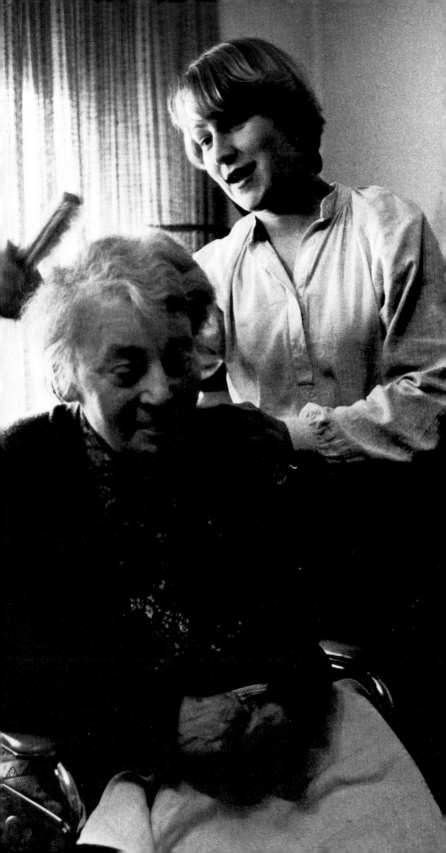

Lorsque tu dis à un homme :
« Comme tu es formidable ! »
Il se gonfle !

Lorsque tu dis à un arbre :
« Comme tu es beau ! »,
c'est alors qu'il regarde vers ses racines.

Le poisson le plus heureux

Un jour, un poisson vit une mouette
qui volait majestueusement au-dessus des flots de la mer,
jouant avec le vent et se laissant bercer par les vagues.
Dans sa sottise, le poisson se mit à croire
que la mouette était beaucoup plus heureuse,
puisqu'elle était capable de voler au-dessus de la mer
et de se jouer des vents.
Or, au même moment, un singe rêvassait au bord de l'eau.
Tire-moi hors des flots, lui dit le poisson.
Le singe s'exécuta et déposa le poisson sur la terre ferme.
Le ravissement ne dura pas longtemps ;
le poisson se mit bien vite à pleurer des larmes de regret.
Sentant la mort l'envahir, il n'eut qu'un seul désir :
retourner dans les flots.
Alors une grosse vague recouvrit la berge
et l'emporta de nouveau dans la mer.

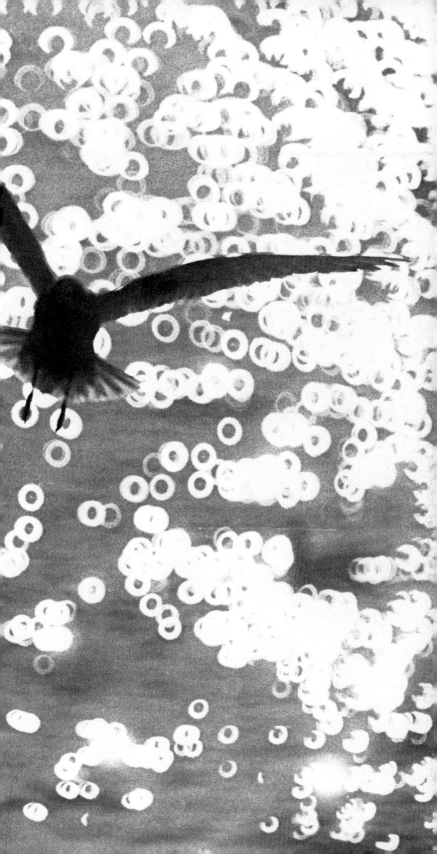

Un foyer

Celui qui n'a pas de foyer,
cherche sans répit un chez soi;
il recherche des gens
qui lui offrent une présence amicale,
une chaleur humaine et un paisible repos.
Tout au long de leur vie,
quels que soient les chemins,
les détours ou les impasses,
les hommes sont en recherche
d'un nid bien chaud, d'un refuge bien protégé,
d'un port bien abrité.

Partout
où les hommes
vivent
les uns
pour les autres,
la demeure
la plus pauvre
devient un foyer
chaleureux.

Ils cherchent une table et un toit,
un peu de pain et de vin,
un cœur plein de bonté, ouvert et accueillant,
une présence humaine reposante,
une mélodie pour le soir et pour le matin.
Que suis-je avec mon bel appartement, mon salon luxueux,
mes équipements techniques les plus sophistiqués,
si personne n'est là pour rire et pour chanter,
si chacun poursuit de son côté son propre chemin,
si les hommes mènent une existence momifiée,
où chacun, depuis longtemps, est mort pour autrui !

Un bon père n'a pas de prix.

Un bon père, ce n'est pas
un patriarche autoritaire
qui ne supporte
aucune critique.
Ce n'est pas
un homme avide de gain,
rivé à son travail,
n'ayant plus le temps d'être
simplement un bon père.

Un bon père,
c'est un homme qui,
avec sa femme,
sait transformer
en foyer son appartement
ou sa maison.
C'est là qu'il fait bon vivre ;
on y connaît la peine,
mais aussi les rires.
On s'y dispute,
mais on y connaît
aussi le pardon.
Tous et chacun
s'y sentent à l'aise.

Un bon père,
c'est un homme qui refuse
la promotion professionnelle
quand elle nuit
à la vie de son foyer.
C'est un homme
qui sait chanter une berceuse
pour endormir son enfant,
qui aime jouer,
qui n'hésite pas à cuisiner
ou à faire la vaisselle,
et qui demande à l'occasion
qu'on le laisse un peu au calme
après une journée chargée.

Un bon père
donne plus de sécurité aux siens
que toutes les assurances
du monde.
Avec un bon père,
bien des problèmes se résolvent
comme par enchantement,
sans avoir recours
au psychiatre.

Etre bon,
c'est le plus important au monde.

Celui que réjouit
la présence
d'un enfant,
se réjouit
aussi par la vie.

Si tu demeures tout petit,
c'est alors
que tu es grand.

On peut apprendre beaucoup
de la part des enfants.

Un jeune homme

C'est bien plus qu'un ordinateur
qu'il faut bourrer de données.
La chose la plus importante
qu'un homme doit apprendre
dans sa vie, c'est ceci :

Apprendre à aimer

Aimer la nature.
Aimer les hommes.
Aimer tout
ce qui est faible.
Aimer le mystère.

Ce n'est que dans l'amour seul
qu'un homme peut devenir homme.

Quand, de nouveau,
entendrons-nous
les jeunes
chanter dans les rues,
parce qu'ils sont heureux
de vivre ?

Vous les grands, réjouissez-vous à cause des enfants !

En Occident,
l'enfant est une valeur oubliée.
Une « Année de l'enfant »
n'a rien changé sur le fond.
L'enfant qui, dans le Tiers Monde,
est la plus grande richesse des pauvres,
a laissé place en Occident à la richesse des riches.
L'enfant a si peu de place là où les hommes
sont possédés de trois Vs :
la villa, les vacances et la voiture.

Vous les grands, soyez plus accueillants pour les enfants !

Les chances d'un enfant
ne dépendent pas du bien-être matériel.
Pour chaque enfant, les chances de vie et de bonheur
dépendent de la qualité du père et de la mère,
de la qualité de l'amour dont il a pu faire l'expérience
dès ses premiers instants.

En Occident, l'enfant est soit trop gâté ou dorloté,
soit laissé à lui-même et comme abandonné.
Si notre style de vie ne change pas,
personne n'empêchera qu'un jour
les enfants des pays pauvres viennent peupler l'Occident.
Chez nous, les enfants ne sont pas désirés ;
ils ne sont même plus en sécurité dans le sein de leur mère.
C'est bien la preuve qu'en dépit de toutes les belles théories
nos peuples sont mortellement malades.

Vous les grands,
faites une place
aux enfants !

Il y a des personnes âgées qui sont formidables.

Il y a des personnes âgées
engourdies par l'égoïsme,
qui tyrannisent constamment
leur entourage.
Il y a des personnes âgées
qui deviennent
une lourde charge,
à cause de leur déclin corporel
et intellectuel.
Il faut les aider
à porter leur souffrance
avec beaucoup d'amour
et d'indulgence

Mais il y a aussi
des personnes âgées
qui sont formidables :
seulement on parle trop d'elles,
de leurs rentes,
de leurs demeures,
de leurs petites
ou grandes souffrances ;
en revanche,
on parle trop peu avec elles.
Parlons donc un peu
avec elles.
Et surtout sachons

écouter les vieillards
non encore corrompus
par le style de vie inhumain
des grandes villes ;
sachons écouter
ces gens des campagnes.
On sera surpris
par leur sagesse de vie,
par leur humour,
par leur philosophie,
par leur calme
et leur assurance,
par la joie de leur cœur.

Les personnes âgées
rendent des milliers
de petits services gratuits
que d'autres
feraient payer très cher.
Dans notre société sans cœur,
ils sont des guides montrant
les vraies valeurs de la vie.
Souvent
ils nous rendent attentifs
avec beaucoup d'humour
au peu d'importance
des choses pour lesquelles
nous nous fatiguons.

Les personnes âgées sont précieuses.

Sérénité

L'automne est arrivé.
C'est ce que me disent les arbres
et les bosquets du jardin.
C'est ce que je devine
dans le souffle de l'air.
L'été s'en est allé,
irrévocablement.
Il n'existe pas de philtre magique
contre l'automne.
Mais l'automne est beau ;
il sait se parer
de si riches couleurs !
Les dernières joies de la vie
sont souvent plus calmes,
mais aussi plus profondes.
Et c'est ainsi que, sereinement,
je veux laisser venir l'automne.

Le grain de blé
ne voit pas l'épi.

Le sort de ceux qui donnent la vie
c'est, justement, d'en mourir.
Un grain de blé,
une graine de betterave,
un pépin de pomme,
ou toute autre semence qui donne la vie,
se met peu à peu à dépérir et mourir,
et sera oubliée totalement.
Ainsi tout homme conscient doit-il savoir qu'il dépérira
et retournera au silence après avoir donné la vie,
parce qu'on peut se passer de lui.
Le véritable art de vivre consiste à accepter ;
parce que c'est dans cette acceptation,
dans l'accueil total de cette mort,
que se trouve caché le fruit le plus précieux,
une joie profonde à l'égard de la vie.

Oui à la vie !

Vivre
*C'est embrasser les choses et les gens,
et puis, de nouveau, les laisser libres,
pour qu'ils puissent grandir
et s'épanouir devant la face de Dieu.*

Vivre
*C'est rendre grâces pour l'amour et la lumière,
pour la chaleur et la tendresse
qui nous sont données
dans la simplicité des choses et des gens.*

Vivre
*C'est voir toutes choses comme don de Dieu,
c'est laisser faire tous les dons,
ne rien retenir pour soi
ni chose, ni homme
et jubiler pour chaque étoile
qui nous descend du ciel.*

Seuls les optimistes
survivront.

Traduit de l'allemand par François VIAL

Mise en page de l'édition française : J.M. BERTHOLLE

Photos : Rudolf Dietrich ; Rainer Fichel ; G.P.A. ; G.P.A/Will McBride ; G.P.A./R. Sellay ; Barbara Klemm ; Kunst/present ; Markus ; Thomas Müller ; Karsten de Riese ; Manfred Richter ; H. R. Uthoff ; Manfred Vollmer. Couverture Bernard Flargeul 1 : Markus, p. 4 : Rolf Christmann.

Dessins : Paul Reding ; Saul Steinberg ; Jules Stauber.